ユーズ
use

リサイクル
Recycle

ペクト
pect

リペア
Repair

➡3巻(かん)P34

シリーズ「ゴミと人類」過去・現在・未来 ②

日本のゴミと世界のゴミ
現代のゴミ戦争

著／稲葉茂勝

ゴミ収集車のしくみ

わたしたちの家庭から出るゴミは、ゴミ収集車によって集められます。まちをくまなくまわり、ゴミを回収するゴミ収集車のなかは、どうなっているのでしょうか。ここでは、そのしくみをのぞいてみましょう。

❶ 運転席

車体後方で作業する人のようすを、モニターで確認できる。積みこんだゴミをかき出す板（排出板）をうごかすスイッチもついている。

❷ 助手席のドア

開けるときに、道を歩いている人のじゃまにならないよう、スライド式になっている。

❸ ボディーのドア

ボディーのなかをそうじしたり、点検したりするときにつかう。

4 ホッパー

ボディーのなかにゴミをおしこむための装置。プレススライド板の強い力でおしつぶしながら、ゴミをボディーのなかへ送りこむ。

5 カメラ

車体後方の安全を確認するために取りつけられている。撮影された映像は、運転席のモニターで確認できる。

6 操作スイッチ

スイッチをおすと、プレススライド板がうごく。赤いスイッチは、緊急停止のためのもの。

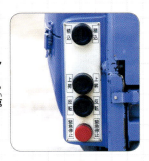

7 緊急停止スイッチ

作業をする人の安全を守るために、6の緊急停止用の赤いスイッチにくわえ、バー型の緊急停止スイッチもついている。両手がふさがっていても、足で操作できる。

ゴミが道路にちらかってしまったときには、かき板をつかってかきあつめる。

8 ボディー

ゴミを積みこむ部分。排出板がうしろにうごき、ゴミをおしだす。

清掃工場に到着したら、集めたゴミを収集車からおしだす（→P24）

※写真のゴミ収集車は、しくみを説明するため、特別になかが見えるようにつくられている。

はじめに

最近、フリーマーケットがさかんにおこなわれています。
お気に入りの服でも、からだが成長すれば着られなくなってしまいます。すててしまうより、だれかに着てもらいたい！ある人にとって不要となったものでも、別の人にとって役立つことはよくあります。

日本には、古くから**「もったいない」**ということばがあって、ものをたいせつにする精神が根づいてきたといわれています。

しかし、高度経済成長を経験した日本は、そのことばも精神もわすれてしまったかのように、いつしかものをどんどんつかいすてるようになってしまいました。

写真：NPEC

日本が1年間に焼却するゴミの量は約3480万トンで世界1位、2位がドイツの約1671万トン、3位がフランスの約1210万トンと続きます（OECD、2013年）。また、ゴミの焼却炉の数は、1位が日本の1243、2位がアメリカの351、3位がフランスの188と、日本がとびぬけて多くなっています（OECD、2008年）。

この理由の1つとして、食料品のプラスチックトレイや包装紙の使用の多さがあげられます。衛生上の理由と便利さにより、1990年代ごろからプラスチックトレイなどの使用が急速に広がりました。同時に、焼却炉をどんどん増やしてきました。

ゴミを焼却すれば、空気をよごします。温室効果ガスがどんどん出ていきます。地球環境を破壊していきます。ゴミを出さないようにすることは、現在、国際社会のなかで日本が急いでやらなければならない重大な課題となっています。

日本人の一人ひとりが、どうすればゴミを減らせるのかを考え、実行しなければならないのです。

ところが、日本は外国にゴミを輸出しています。これは、中古自動車などのように、日本では不要とされたものでも外国で必要とされているからということもあります。しかし、そういうことだけでは決してありません。日本で処分にこまってしまったものを外国におしつけて、処分してもらっているともいえます。お金を支払って。

こういう話もあります。

温室効果ガスは排出してもよい量が国際的に取り決められています。ところが、日本の排出量はその範囲をこえてしまっています。一方、決められた範囲にまだ余裕がある国もあります。そこで日本は、日本がこえた分を、お金を払ってその国が排出したかたちにしてもらっているのです。これは、日本国内で処理できないゴミを外国で処理してもらっているのと同じことなのです。

そんな日本であるにもかかわらず、こんなできごとがありました。
　2004年、アフリカ・ケニアの環境保護活動家ワンガリ・マータイさんが「持続可能な発展・民主主義・平和へ多大な貢献をした」という理由で、ノーベル平和賞を受賞しました。そのマータイさんは、2005年3月に国連でおこなった演説で、日本語の「もったいない」ということばを紹介し、会議の参加者全員に「もったいない」をとなえるようもとめたのです。会場に「もったいない」がひびきわたった瞬間でした。そしてその後、世界じゅうにこの「もったいない（MOTTAINAI）」が知られるようになりました。

　日本には、世界に向かってほこれることがあります。ただゴミを外国におしつけて、すずしい顔をしているわけではありません。ゴミ処理に関する技術開発に真剣に取り組んできました。温室効果ガスの排出量を極力少なくした焼却炉もつくってきました。いまや日本のゴミ処理技術は、世界でも最高水準に達しているのです。
　冒頭に書いたように、一般の人たちも「もったいない」ということばを思い出してきました。ゴミ問題を毎日の生活のなかで真剣に考える人が増えてきました。ゴミの出ない買い方・つかい方をするように、むだなものを買わずに本当に必要なものを買うように心がける人や、紙袋や本のカバーなど必要以上の包装をことわり、買いもの袋を持っていく人も増えてきました。つかいすてのものや食料品トレイをさける人も……。それでもまだまだ不十分です。

　世界と日本のゴミ問題は、まったく解決していません。こうしたなか、日本人のひとりとして、もっともっとやらなければならないことがあります。地球にくらす人類としても。
　この、シリーズ「ゴミと人類」過去・現在・未来は、人類という大きな視点からゴミ問題を考え、これからもやっていかなければならないことを、いま一度確認してみようというものです。つぎの3巻で構成しました。

1　「ゴミ」ってなんだろう？　人類とゴミの歴史
2　日本のゴミと世界のゴミ　現代のゴミ戦争
3　「5R＋1R」とは？　ゴミ焼却炉から宇宙ゴミまで

　さあ、このシリーズをよく読んで、ゴミを少しでもなくしていこうという気持ちを、もっともっと高めていきましょう。

こどもくらぶ　稲葉茂勝

もくじ

写真で考えよう ゴミ収集車のしくみ ……………………………… 2
はじめに ……………………………………………………………… 4

PART 1 現代社会のゴミ問題と世界のゴミ戦争

①世界の国ぐにのゴミ問題 ……………………………………… 8
●もっとくわしく！ 健康・公衆衛生の指数にもとづく世界のよごれた都市ランキング 14
②世界のゴミの最終処分？ ……………………………………… 15
③3つのRから5つのRへ ……………………………………… 16
④日本のゴミはどこへいく？ …………………………………… 18
⑤日本の家電ゴミ ………………………………………………… 20
⑥「東京ゴミ戦争」とは？ ……………………………………… 22
●もっとくわしく！ ゴミ屋敷 …………………………………… 23
●もっとくわしく！ 写真で見る清掃工場 ……………………… 24

PART 2 ゴミには国境がない！

①漂着ゴミ ………………………………………………………… 26
②海をゴミすて場にする？！ …………………………………… 28
③太平洋ゴミベルト ……………………………………………… 30
●もっとくわしく！ バーゼル条約とは ………………………… 32
④世界の酸性雨 …………………………………………………… 34
⑤中国からやってくるPM2.5 …………………………………… 36
⑥ゴミと温室効果ガス …………………………………………… 38
●もっとくわしく！ 世界一大気汚染のひどい都市 …………… 40

資料編
- 日本の海岸に漂着したペットボトルの製造国別割合 ………… 41
- 世界の地域別ひとりあたりの食料年間廃棄量 ………………… 42
- 各国の京都議定書の達成目標と達成状況
- 日本の家庭ゴミにおける容器包装の割合と素材別内訳（2015年） … 43
- 特定家庭用機器の再商品化率の推移（国内）

用語解説 …………………………………………………………… 44
さくいん …………………………………………………………… 46

この本のつかい方

この見開きのテーマ。

この見開きがなにについて述べているかをかんたんに説明しています。

青字のことばは用語解説（44～45ページ）で解説しています。

イクル（再商品化など）」

写真や図。内容を補足し、イメージをつかみやすくするのに役立ちます。

本文に関連する一歩ふみこんだ情報を紹介しています。

本文の内容についてのよりくわしい情報を精選して掲載しているページです。

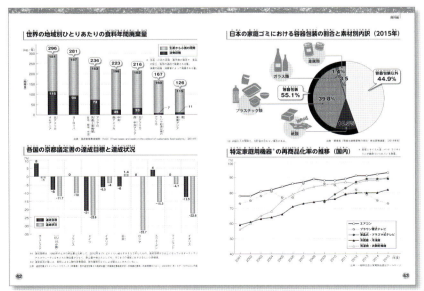

PART1、PART2の内容をより深く理解するのに役立つ資料を紹介しています。

PART 1　現代社会のゴミ問題と世界のゴミ戦争

1 世界の国ぐにのゴミ問題

地球上には**豊かな国**もあれば**貧しい国**もあります。はやくから発展した国（**先進国**）があれば、新たに発展しはじめた国（**新興国**）もあります。ゴミ問題の状況は、それぞれの**国の状況**によって大きくことなります。

▍豊かな国のゴミ問題

世界では現在、先進国、とくに都市部で、ゴミの量がどんどん増えつづけ、ゴミ問題がますます深刻になってきています。

ゴミのなかでも、「燃えないゴミ」と、燃やすとダイオキシンなどの有毒物質が発生するため「燃やせないゴミ」が、その深刻さを増大させています。それらのゴミは科学的に処理した上で、地中にうめています。放射性物質も、うめ立てられています。しかし、そうしたゴミのうめ立て場所は、だんだんなくなってきているのです。

▍まちかどのいたるところにゴミ箱

世界でもっとも裕福な国・アメリカの大都市ニューヨークでは、まちじゅうにゴミ箱があります。①の写真は、ニューヨークの交差点で見かけるゴミ箱です。一方、②の写真は、オーストラリアのまちのゴミ箱にやってきたゴミ収集車。次つぎとゴミ箱を持ちあげて空にしていきます。

もっと知りたい！　ゴミ箱のない大都市

ヨーロッパやアメリカの大都市には、ゴミ箱がいたるところにある。日本もかつてはまちじゅうにゴミ箱があったが、1995年の地下鉄サリン事件をきっかけにすがたを消した。ゴミ箱に危険なものがしかけられないようにするためだという。ところがいまでは、かならずしもそれが理由ではない。日本人の公徳心が低下し、公衆のゴミ箱に家庭ゴミをすてる人がいることも、理由の1つとなっているという。

ゴミであふれかえった通りを歩くシチリア州パレルモの人びと（2009年5月31日）。

労働者のストライキとゴミの回収

写真は、イタリアのシチリア州パレルモというまちのようすです。ここは、ゴミ置場ではありません。ふだんはふつうの通りなのですが、給料が払われなくなるのではないかと心配したゴミの収集作業員が、ストライキをしたことから、ゴミがあふれかえってしまいました（2009年5月31日）。

日本をふくめほとんどの先進国は、こういうことでも起こらないかぎり、ゴミについて真剣に考えないのではないかといわれています。

もっと知りたい！ ゴミに関するデータ

経済協力開発機構（OECD）が発表したデータによると、日本で1年間に焼却するゴミの量は、世界でもっとも多い約3480万トン。2位がドイツで約1671万トン、3位がフランスで約1210万トンと続く（2013年）。また、ゴミの焼却炉の数は、1位が日本1243で、これは、2位のアメリカ351、3位のフランス188を大きく引きはなしている（2008年）。

また、日本は「食品ロス」（まだ食べられるのにすてられた食べもの）の量も多く、年間約632万トンにものぼる（2013年度農林水産省推計）。食料の廃棄は世界の各地域、とくに先進国で大きな問題となっており、北アメリカ・オセアニア地域、ヨーロッパ地域ではひとりあたり年間300kg近くにもなる。

ピラミッドがゴミにうもれる?!

エジプトは、アフリカ大陸でもっとも経済が発展した国とされていますが、「豊かな国」とよぶわけにはいきません。その首都カイロには、貧しい人たちがくらすまちがいまもあって、まち全体が大きなゴミすて場のようになっています。そのうちピラミッドもゴミでうもれてしまうのではないかと、心配されています。

屋上がゴミであふれかえるカイロ市内のビル（2010年3月）。

もっと知りたい！　「フスタート」

かつてカイロのゴミは、まちの南側の広大な荒地に集められていた。そこは「フスタート」とよばれ、カイロが首都になる以前は商業の中心地として栄えていたが、1168年、外国の軍隊に攻撃された当時の王朝が自ら火を放って焼きはらってしまった土地だ。以来、廃墟のままになっていて、カイロのゴミすて場としてつかわれてきた。しかし、その土地で、遺跡の発掘調査がおこなわれるようになり、ゴミすて場としてつかえなくなった。調査が終われば遺跡公園になる予定だが、発掘は現在も続いている。カイロ市ではゴミのすて場所になやんでいる。

カイロ市内のまち。道にはゴミが落ちている。

PART 1　現代社会のゴミ問題と世界のゴミ戦争

世界でもっとも貧しい国では

　下の2枚の写真は、世界でもっとも貧しい国とされる国ぐにのうちの2つであるバングラデシュ（左）とフィリピン（右）です。

　バングラデシュには、1日2ドル未満でくらす貧困層が、国民の75％をこえる約1億1800万人いると推定されています（アジア開発銀行、2011年）。それでも、膨大な人口を持つこの国は、経済の潜在能力は高いとみられています。ところが、洪水などの自然災害が多く、貧困国の1つに数えられているのです。

　一方のフィリピンは、BRICsについで、21世紀有数の経済大国に成長する高い潜在能力があるとされる11か国（NEXT11）の1つになっています。まもなく最貧国といわれる状況からぬけだすと見こまれています。

　この2つの国のゴミすて場のようすは、とてもよく似ています。それは、貧しい人たち、とくに子どもたちが、すてられた膨大なゴミのなかからお金になりそうなものをひろいあつめる光景が見られることです。どちらの国も、経済発展とともにゴミの量は増える一方。ゴミのなかから、お金にかえられる（売れる）ものをひろって、それらを売ってはその日その日の生活をしている人たちが多くいます。

経済発展レベルとゴミ

　つぎは、開発途上国と新興工業国のゴミ処理の状況です。

開発途上国	ほとんどの開発途上国では、道路、水道など社会の基盤づくりが先で、ゴミ処理にまで行政の手がおよんでいない。先進国の最終処分場（→P15）を自国内に建設して外貨をかせぐこともある。そうしたゴミ処理場では、お金になるものをひろいあつめて生計を立てる人（ウェイスト・ピッカー）がいる。かれらは劣悪な生活をしている。
新興工業国	「新興工業国」は、すでに高い経済成長を達成し、先進国を目指す開発途上国のことをさす。1979年の経済協力開発機構（OECD）の報告書は、韓国、台湾、香港、シンガポール、ブラジル、メキシコ、ギリシャ、ポルトガル、スペイン、ユーゴスラビアの計10か国・地域を「新興工業国」とよんだ。こうした国ぐにでは、開発途上国よりゴミ処理に関する法整備や意識がすすんでいるものの、まだまだゴミを未処理で投棄するのがふつうになっている。そのため、環境汚染が急激に拡大している。

バングラデシュのウェイスト・ピッカーの子どもたち。

ゴミのなかから売れるものをひろいあつめるフィリピン人の親子。

中国の沿岸都市部

　世界でもっとも人口の多い国である中国には、現在13億人以上がくらしています。
　首都北京や世界でも有数の大都市上海をはじめとする沿岸部は、経済的に大きく発展しています。しかし、経済が発展し、人びとのくらしがどんどん豊かになっていくのにつれて、ゴミの量が急激に増加。ゴミ処理は、社会的な大問題となってきました。
　それぞれの都市のゴミのうめ立て地はすでに満杯です。北京の郊外では、ゴミの山が放置されています。まちを流れる川は、不法にすてられたゴミが非常に目立っています。
　北京にかぎらず、中国の大都市周辺では、ゴミによる環境汚染が深刻さを増しています。こうした問題を解決するため、各地でゴミ処理場の建設が急ピッチですすめられています。

清掃業者が、自分たちの待遇改善をもとめておこなった抗議行動により、ゴミであふれかえった中国・南京市の道路（2011年11月16日）。ふだん市内でいかに大量のゴミが出ているかがわかる。
写真：Imaginechina/アフロ

PART 1　現代社会のゴミ問題と世界のゴミ戦争

写真：Imaginechina/アフロ

貴州省・貴陽市のうめ立て処分場。

■内陸の農村部では？

　内陸の農村部には、都市部のゴミ処理場と化したところが増えています。中国のなかでも発展のおくれたところには、急速に発展してきた各都市から、ゴミが運ばれてくるのです。貴州省の貴陽市には、巨大なうめ立て処分場がつくられました。その結果、うめ立て処分場がつくられた農村部では、環境汚染が深刻になってしまいました。

もっと知りたい！　中国の環境破壊

　人口増加にゴミの処理能力が追いつかず、各地で違法なゴミうめ立て地が急増。1990年代、中国各地の地方政府が正規のうめ立て処分場を建設して公害対策をはじめたが、拡大を続ける都市人口が生みだす大量のゴミを収容しきれない。住民たちは不法投棄し、どこの都市でもあちこちにゴミすて場が出現。2008年の北京オリンピック前には、政府は北京の不法投棄場所の浄化に着手。

　正規のうめ立て処分場では、周囲を特殊素材でおおって汚染物質を土壌にしみこませない構造にした。だが、北京以外の多くの都市では、不法投棄場所は拡大する一方だ。そうした規制のおよばないおびただしい数のゴミすて場の周辺では、地下水や土壌、大気から深刻な汚染物質が検出されている。しかし、政府は地方での対策に積極的ではない。その第一の理由は、資金不足だといわれている。

健康・公衆衛生の指数にもとづく世界のよごれた都市ランキング

もっとくわしく！

日本では経済成長とともに大都市のゴミ問題は深刻さを増し、環境汚染や公衆衛生の問題も出てきました。しかし、世界の都市はその比ではないほど深刻になっています。ある調査会社が調査した「健康・公衆衛生の指数」＊にもとづいた世界のよごれた都市ランキングを見てみます。

●第1位はアゼルバイジャン共和国の首都バクー

カスピ海に面したアゼルバイジャンの首都バクーは、8世紀から石油が掘られ、20世紀初頭までは世界最大規模をほこっていました。いまでも世界有数の石油産出地となっていますが、その石油採掘や輸送のために大気汚染が世界でも最高レベルになっているといいます。

バクーにはゴミの焼却施設がなく、うめ立て処分が原則ですが、実際にまちのあちこちにゴミが山積みになったまま。ポリ袋などが、強風で飛ばされ、周囲の木の枝などに引っかかり、まるでかれ木に大きな花がさいた不自然な花畑のように見えるといいます。石油生産地であることから、日本よりも多くのポリ袋がつかわれている結果です。

アゼルバイジャン・バクーのまちなかにあるゴミ箱。ポリ袋があふれている。

●健康・公衆衛生の指数にもとづく世界のよごれた都市ランキングトップ25

順位	国名	都市名
1	アゼルバイジャン	バクー
2	バングラデシュ	ダッカ
3	マダガスカル	アンタナナリボ
4	ハイチ	ポルトープランス
5	メキシコ	メキシコシティ
6	エチオピア	アディスアベバ
7	インド	ムンバイ
8	イラク	バグダッド
9	カザフスタン	アルマティ
10	コンゴ共和国	ブラザビル
11	チャド	ンジャメナ
12	タンザニア	ダルエスサラーム
13	中央アフリカ	バンギ
14	ロシア	モスクワ
15	ブルキナファソ	ワガドゥグー
16	マリ	バマコ
17	コンゴ共和国	ポアントノアール
18	トーゴ	ロメ
19	ギニア	コナクリ
20	モーリタニア	ヌアクショット
21	ニジェール	ニアメ
22	アンゴラ	ルアンダ
23	モザンビーク	マプト
24	インド	ニューデリー
25	ナイジェリア	ポートハーコート

出典：2007年マーサー世界生活環境調査 - MERCER Health and Sanitation Rankings

＊世界最大級のコンサルティング会社マーサーが、海外の駐在員（海外のある土地に一定期間滞在してはたらく職員）向けに発表した、2007年のニューヨークを100としたときの値。各都市の医療サービスや下水道の充実、大気汚染や廃棄物処理の状況などをもとに出した値で、指数が低ければ低いほど公衆衛生の状態がよくないということになる。ランクインした都市はすべて50を切っている。

2 世界のゴミの最終処分？

東京都にある品川清掃工場。

ゴミは世界の国ぐにで処分方法がことなります。先進国では中間処理を経てから最終処分されます。「中間処理」は焼却など、最終処分までの段階です。「最終処分」の方法には、うめ立て処分や海洋投入処分などがあります。

各国のゴミ処理の方法

どこの国でも近年、しだいにゴミをうめ立てる場所がなくなってきました。そのため「リサイクル」に力を入れてきています。グラフは、先進国と新興工業国のゴミ処理のようすです。

日本で焼却処理が多い理由として指摘されていることの1つに、国土がせまいことがあげられます。ゴミのうめ立て場所を確保できないために、燃えるものは、中間処理として燃やしてかさを減らしてから、うめ立てる方法がとられているのです。

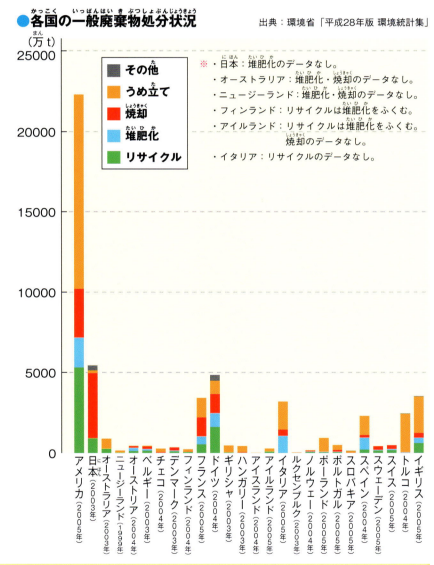

●各国の一般廃棄物処分状況　出典：環境省「平成28年版 環境統計集」

※・日本：堆肥化のデータなし。
・オーストラリア：堆肥化・焼却のデータなし。
・ニュージーランド：堆肥化・焼却のデータなし。
・フィンランド：リサイクルは堆肥化をふくむ。
・アイルランド：リサイクルは堆肥化をふくむ。焼却のデータなし。
・イタリア：リサイクルのデータなし。

もっと知りたい！ EUのゴミ処理

EUのゴミ処理の特徴として、以前はリサイクルに力を入れており、日本のように最終処分をする前の中間処理がすすんでいなかった。しかし、1999年に「EU埋立指令」がつくられ、有害物質をそのままうめ立てないように、中間処理が義務づけられた。

3 3つのRから5つのRへ

少し前まではゴミを減らす取り組みとして、Reduce（減らす）、Reuse（再使用する）、Recycle（再利用する）という頭に「R」がつく3つのことばが提唱され（→3巻P20）、その後、Repair（修理する）とRefuse（拒否する）がくわわり、5つのRになりました。

ヨーロッパの4R

15ページのグラフからもわかるように、現代社会では、リサイクルをふくむゴミ処理のRの原則が必要不可欠になっています。

世界的に見ると、ヨーロッパやアメリカでは、Refuse（拒否する）、Reduce（減らす）、Reuse（再使用する）、Recycle（再利用する）の4Rがゴミ処理の原則とされることが多く、その4Rによって、ゴミを大幅に削減することに成功しているといわれています。

4Rの最初に記した「Refuse」は、「拒否する」という意味の英語。Refuseがくわわったのは、国際社会の温室効果ガス（→P38）の排出規制がなかなかすすまないなかで、「不要なものは受けとらない・ことわる」という意味から、少しでもゴミを出さないようにして、温室効果ガスの排出量の削減を目指そうとしたためです。

さらに、世界や日本では、4Rや5Rとして、ほかにもいろいろなことばがつかわれて、ゴミ処理の啓発活動がおこなわれています（→3巻P21）。下は、世界の4Rと5Rのマークの例です。

また、このシリーズでは、5Rにさらに1つ「リスペクト（Respect）」の頭文字のR（「心のR」）をくわえて、「6つのR（5R+1R）」という考えを提唱します（→3巻）。

スウェーデンの衣料品メーカーがかかげる4Rマーク。4Rのなかでも、逆三角形のいちばん上にあるReduce（減らす）がもっとも重視されている。

カナダ中央部にある都市・ウィニペグがかかげる4Rマーク。Reduce、Reuse、Recycleをくりかえしおこなおうという意味で、Repeat（くりかえす）がくわえられている。

Reduce, reuse, recycle. Repeat. For you, for our city.

環境にやさしいまちづくりのために、マレーシアの企業がかかげる5Rマーク。Reduce、Reuse、Recycle、Responsible（責任を負う）、Rethink（考えなおす）が5Rとされている。

PART 1　現代社会のゴミ問題と世界のゴミ戦争

つかいおわったビンを、専用のマシーンに返却するフィンランドの男性。返却すると、デポジットが返金される。

ヨーロッパのゴミ対策の特徴

　ドイツや北欧など、ヨーロッパの環境先進国とよばれる国ぐにでは、つかいすての容器への高額の課税や、ゴミの完全分別、生ゴミの堆肥化（ゴミから堆肥をつくる）、デポジット制度の導入などをおこなっています。そうした国ぐにでは、ゴミをつくらない・売らない・買わないといったことが、社会の基本となっているのです。

もっと知りたい！　デポジット制度

　「デポジット」は、「あずかり金」のこと。商品を買うときに一定のデポジットが徴収され、使用後にデポジットが返金される。ジュースなどにビン代として10円から30円上乗せされ、ビンを返却すると、ビン代が返金される。環境先進国では、ペットボトル、ビン、缶などの飲料容器だけでなく、自動車、蛍光灯、電池などにも導入されている。オーストリアなどでは、冷蔵庫などの家電製品にもデポジット制度が導入され、使用しなくなった際に、デポジットが返金される。このため、不要になった製品の不法投棄が減っているという。

4 日本のゴミはどこへいく？

日本では現在「容器包装リサイクル法」という法律により、リサイクルが強化されています。ところが、回収されたペットボトルなどが処理されずに野ざらしになっていることも多くあります。まだまだ問題が山積みだといわれています。

容器包装リサイクル法

現在の日本では、家庭から出るゴミの約60％が容器包装廃棄物だといわれています。そこで政府は、1995（平成7）年に「容器包装リサイクル法」をつくり、2000（平成12）年の4月から完全施行し、3Rをすすめようとしました（2006年6月に一部改正）。

容器包装リサイクル法の特色は、消費者、市町村、事業者*の役割分担をはっきり決めたことです。おおよその内容は右のとおりです。

なお、「容器包装リサイクル法」や「家電リサイクル法（→右ページ）」などをたばねる法律として、2000（平成12）年に「循環型社会形成推進基本法」が制定。廃棄物について、国や都道府県、市区町村の責任の範囲と役割分担が明確にされ、国民（企業や個人）にも「排出者責任」があることが示されました。

消費者	市町村が定める分別収集基準にしたがって分別排出をおこなう。ゴミを出さないように努める。
市町村	家庭から排出される容器包装を分別収集・保管する。
事業者	利用した容器包装の量に応じて再商品化・リサイクルの義務を負う。

● 「容器包装リサイクル法」にもとづく役割分担

もっと知りたい！「世界のゴミ焼却炉の約70％以上が日本にある」

日本は、ゴミの排出量が非常に多い。その大きな原因は、食料品などのプラスチックトレイにあるという。このため、現在世界のゴミ焼却炉の約70％以上が日本にあるという。しかし日本では、2011年の東日本大震災にともなって発生した福島第一原発事故以来、放射性物質をふくむ廃棄物の焼却に対し人びとの意識が高まり、それ以前にくらべ、焼却炉に対してきびしい目が向けられるようになってきた。

---

* 容器包装リサイクル法においては、以下の3つの事業者のこと。・容器包装を利用して中身を販売する事業者（例：食品、飲料、石けん、塗料などの製造者）。・容器包装を製造する事業者（例：ビン、ペットボトル、紙箱、袋などの製造者）。・容器包装がついた商品を輸入して販売する事業者（例：スーパーマーケット、コンビニ）

PART 1　現代社会のゴミ問題と世界のゴミ戦争

家電リサイクル法

家庭から排出される廃棄物は、市町村が収集し、処理をおこなっています。しかし、粗大ゴミのなかには、大型で重かったり固かったりして、粗大ゴミ処理施設で処理ができないものも多くふくまれています。以前は、これらは大部分がうめ立てられていました。

ところが、1998（平成10）年5月に「特定家庭用機器再商品化法（家電リサイクル法）」がつくられ、2001（平成13）年4月1日より施行されたのです。この法律では、エアコン、テレビ、冷蔵庫・冷凍庫、洗濯機の4品目を「特定家庭用機器」として指定し、小売業者は「消費者からの引き取りと製造業者などへの引きわたし」、製造業者などは「引き取りとリサイクル（再商品化など）」といった役割をそれぞれが分担し、リサイクルを推進することが義務づけられました。その際、引き取りをもとめた消費者は、小売業者や製造業者などからのもとめに応じ、料金を支払うことになります。その後、液晶式・プラズマ式テレビ、衣類乾燥機が、特定家庭用機器として追加されました。

● 「家電リサイクル法」にもとづく役割分担

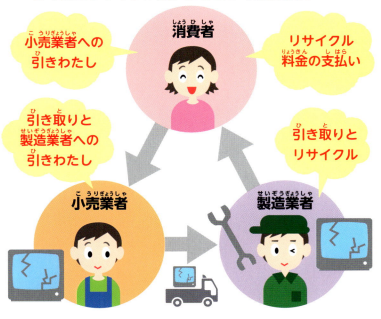

● 家電リサイクル法の対象となる廃棄物

エアコン

テレビ
（ブラウン管、液晶式・プラズマ式）

洗濯機・衣類乾燥機

冷蔵庫・冷凍庫

もっと知りたい！

不法投棄

「不法投棄」とは、ゴミを規則に反してすててしまうこと。ゴミがすてられた場所の近隣の迷惑になるのはもちろん、環境にも悪影響をおよぼす。不法投棄は、家電リサイクル法が実施されてから増加した。使用しなくなった家電製品を廃棄する際に費用がかかるため、山中などに不法に投棄する人が増えたという。

不法投棄禁止をうったえる看板。

19

5 日本の家電ゴミ

日本の住宅地では大きな音量で家電製品などの回収を案内する小型のトラックが走りまわっているのを見かけることがあります。そうして回収された**家電ゴミ**のなかには、**不法投棄**されたり海外へ運ばれたりするものが多くあります。

無許可の回収業者

「ご家庭で不要となったもの……」などといいながら住宅地をまわっては、無許可で家電製品などの回収をおこなっている業者がいます。「無許可の回収」とは、市区町村からの委託を受けずにゴミを違法に回収することをさします。

日本では、市区町村が委託した業者だけがゴミを回収することができ、回収した家電ゴミなどは市区町村のルールにしたがって処分しなければならないのです。

下は、無許可の回収業者を利用しないように国民によびかけている、環境省がつくったポスターです。

このようなポスターがつくられた背景には、違法な回収業者が高額の回収手数料を請求したり、回収したものを不法投棄したりすることがあとをたたない状況があります。

住宅地で家電製品などの回収をおこなう小型トラック。

海をわたる家電ゴミ

無許可の回収業者が集めて不法投棄した家電製品を、海外へ輸出する業者があります。これは、家電リサイクル法（→P19）の闇から生まれた商売だといわれています。

以前は産業廃棄物としてうめ立てるしかなかった家電製品などは、家電リサイクル法が施行されてからは、そのまま闇で取引されることが増えたといわれています。

日本で不要となった家電製品も、中国など海外では、資源としての需要があり、高値で取引されているのです。

下の写真は、海外から中国に運ばれた大量のCDプレーヤーです。作業員の男性は、リサイクルできる部品を手作業で選別しています。

写真：ロイター／アフロ

中国・貴嶼

中国・広東省の貴嶼というまちは、「世界最大の電気電子ゴミ（E-waste）の処分場」として知られている。世界じゅうから運ばれてきたテレビやパソコンや携帯電話などが手作業で分解され、金属や部品が取りだされる。お金にならない残がいは山積みにされて雨ざらしにされていたり、焼かれたりする。そのため、環境汚染と住民の健康被害が深刻だといわれている。

6 「東京ゴミ戦争」とは？

「東京ゴミ戦争」とは、東京都のゴミ処理に関して、1950年代後半から1970年代にかけて江東区と杉並区のあいだで起きた論争のこと。これがきっかけとなり、各地でも「ゴミ戦争」が起こりました。

東京ゴミ戦争の背景

高度経済成長期、産業の急速な発展と生活水準の向上にともない、それまで考えられなかった大量のゴミが出されるようになりました。

当時、東京都には、自区内にゴミ処分場を設けていない区が23区中9区あり、それらの区から出されたゴミが江東区に運ばれていました。

江東区のゴミ処分場ではゴミ火災が起きたり、ハエの大量発生や悪臭が問題となったりして、そうした状況に近隣の住民が不満を持っていました。

それにもかかわらず、東京都は江東区内にうめ立て地「夢の島」をつくり、さらに大量のゴミをうめ立てようと計画したのです。

不満をつのらせた江東区は、各区に対して自区内に処分場を設けることに関する公開質問状を送り、はやい対応をもとめました。

一方、杉並区が処分場を建設しようとした高井戸地区の住民が、建設に猛反対し、実力行使の姿勢を見せたのに対し、江東区では杉並区からのゴミ運搬トラックが江東区に入るのを阻止するという事件が起こりました。これには江東区の区長までも参加。当時話題になりました。

なお、「ゴミ戦争」ということばは、当時の美濃部東京都知事が「ゴミ戦争宣言」をおこなったことをきっかけに、以後、似たようなことにもつかわれるようになりました。

江東区が各区に対し、公開質問状を送ったことを報じる新聞記事。「ゴミうめ立てで江東区が受けている迷惑をどう考えるか」、「自区内に処分場を設けることに賛成か反対か」などの質問をした（朝日新聞1971年9月26日掲載）。

杉並区のゴミ搬入を阻止する江東区（1973年5月22日）。

写真：東京都

もっとくわしく！ ゴミ屋敷

「ゴミ屋敷」とは、家全体または部屋がゴミでうまっている住まいのことをさします。「ゴミ」と考えるか、そうでないかは人によって決まります（相対的価値）が、近隣にとって「ゴミ屋敷」はこまったものです。

●ゴミ屋敷は正当化できない！

ゴミ屋敷は、おもにそこにくらす人が掃除やかたづけの習慣がないことから起こるといわれていますが、かれらは、ゴミにうもれていながらも、それをゴミだと認めないことが多いようです。

ゴミであるかどうかは、相対的価値（→1巻）によって決まるとはいっても、それには、限度があります。

ゴミでないといいはったものが大量に集められ、そこからハエやゴキブリなどの害虫が発生したり、悪臭がただよったり、ゴミが敷地外の道路や隣家などにはみだしたり、だれが見てもきたならしく見えたり……。

ゴミの価値は、人によって決まるからといっても、こうしたゴミ屋敷を正当化することはできません。

ゴミであふれかえった家。

もっとくわしく！写真で見る清掃工場

各家庭から出された燃えるゴミは、ゴミ収集車で決められた日に集められ、清掃工場に運ばれます。清掃工場でゴミはどのように処理されているのか、見学してみましょう。

1 ゴミを積んだ収集車が到着したら、まず「ゴミ計量機」で重さを測り、全体でどれだけのゴミが運ばれたかを調べます。

専用の「ゴミ計量機」で、車ごと重さを測る。全体の重さから車体の重さ[*1]を引いた分が、ゴミの重さ。
*1 写真のゴミ収集車の場合約4200kg。

2 計量を終えた収集車は、「プラットホーム」にやってきます。重さを測ったゴミは、プラットホームから、焼却されるまでゴミをためておく「ゴミバンカ」に移されます。

● 清掃工場のしくみ

- → ごみ・灰の流れ
- → 空気の流れ
- → 排ガスの流れ
- → 排水の流れ

各設備の運転操作と監視をおこなう。モニターで工場全体の運転状況を確認することができる。

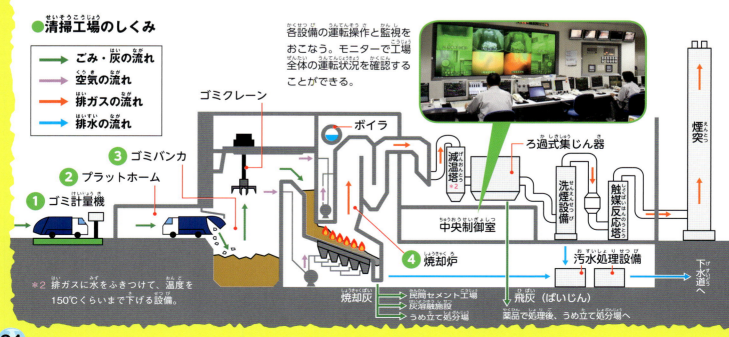

*2 排ガスに水をふきつけて、温度を150℃くらいまで下げる設備。

1 ゴミ計量機
2 プラットホーム
3 ゴミバンカ
ゴミクレーン
ボイラ
減温塔 *2
ろ過式集じん器
中央制御室
洗煙設備
触媒反応塔
煙突
4 焼却炉
焼却灰 — 民間セメント工場／灰溶融施設／うめ立て処分場
飛灰（ばいじん） 薬品で処理後、うめ立て処分場へ
汚水処理設備 → 下水道へ

❸ 運ばれたゴミは、成分や大きさがまちまちで、かわいたものや水分を多くふくんだゴミがまざっています。ゴミバンカでは、「ゴミクレーン」でゴミを持ちあげて落とすことをくりかえし、かきまぜます。この作業によってゴミの質を均一にしてから、焼却炉に投入することで、安定した焼却ができるようになります。

ゴミクレーンは、1つかみで約3.5トンのゴミを持ちあげることができる。

ゴミクレーンの操縦室。

❹ ゴミクレーンでよくまぜたゴミは、焼却炉へ運ばれます。ゴミを燃やすことで、ばい菌や害虫、悪臭の発生をふせぎます。焼却炉を立ちあげるときなどにはガスを使用しますが、いったん燃えはじめるとゴミだけで燃えつづけます。焼却後の灰のうち、再利用しきれない分はうめ立て処分場へ運ばれます。

写真：東京二十三区清掃一部事務組合

焼却炉は800℃以上の高温で、24時間ゴミを燃やしつづけている。

燃やしたゴミは灰になり、容積は約20分の1になる。灰の一部は、建物やダム、道路などをつくる際につかわれるセメントの原料として利用される。

もっと知りたい！

環境を守るために

清掃工場では、環境対策にも積極的に取り組んでいる。ゴミを燃やすときに出る排ガスには、環境や人にとって有害な物質がふくまれているため、清掃工場では、それらを取りのぞく作業がおこなわれる。「ろ過式集じん器」では、大きなフィルターで排ガスのなかのすすなどを取りのぞく。「洗煙設備」では、排ガスを薬品で洗ってきれいにする。「触媒反応塔」では、排ガスのなかにのこっている物質を分解して取りのぞく。清掃工場内で発生する汚水も、きれいにしてから下水道に流す。

また、清掃工場では、ゴミを燃やしたときに発生する熱エネルギーを有効活用し、電気や温水をつくっている。つくられた電気や温水は、近くのプールや植物園などで利用されたり、清掃工場内の照明や設備に利用されたりしている。

PART 2 ゴミには国境がない！

石川県赤住の海岸に漂着した大量のゴミ。
写真：NPEC

1 漂着ゴミ

「漂着ゴミ」は、海をわたってくるゴミのことです。ゴミには国境がありません。そうしたゴミについて国際社会は近年、さまざまな国際条約をつくり、対策を立てるようになってきました。

海洋ゴミとは？

海岸に打ちあげられたゴミ（漂着ゴミ）は、世界じゅうの海岸で、その景観をよごし、海洋環境や生物・生態系への悪影響をもたらしています（3・11東日本大震災のがれき→3巻P8）。

海に流れでたゴミは、もちろん岸に漂着するだけではありません。多くのゴミが海のなかをただよいます。海底にしずんで堆積し、「海底ゴミ」となるものもあります。こうした海底ゴミと漂着ゴミをあわせて、「海洋ゴミ（海ゴミ）」とよびます。

もっと知りたい！ 詩の一節

「名も知らぬ遠き島より流れ寄る椰子の実一つ」。これはのちに曲がつけられた島崎藤村の詩「椰子の実」の一節。このように海外から日本の海岸に漂着するものは、ロマンをさそうこともある。また、漂着物の科学的な収集もおこなわれている。しかし現代では、漂着ゴミの問題は深刻だ。海岸に大量に打ちよせたゴミの回収や処理に苦労している自治体は少なくない。

「椰子の実」の詩が刻まれた石碑（愛知県伊良湖岬）。

どこからやってくるのか？

海のゴミには、直接海にすてられたものもありますが、川にすてられたものが、海に運ばれてきた場合も多くあります。

大雨など自然災害によって流されたゴミが川に流れこみ、海へ。そして海では、風や海流の影響を受け海面や海中をただよいながら、重いものは海底へとしずみ、一部が海岸へ……。

漂着ゴミは、自国のどこからか流れて出てくる場合もありますが、遠い外国から海流に乗ってやってくるものも多くあります。

さまざまなものが漂着ゴミとして見つかりますが、とくにペットボトルや食品容器などのプラスチック製品は、自然界で分解されないので、半永久的に海をただよい、どこかの海岸へたどりつきます。

こうしたゴミは、地球規模に広がる海洋汚染の問題として、国際的な取り組みが必要だといわれるようになりました。

もっと知りたい！ 北朝鮮のミサイルの残骸

2016年6月16日、鳥取県の中部、湯梨浜町の海岸に、北朝鮮が同年2月7日に発射した長距離弾道ミサイルの一部とみられる物体が漂着した。危険性はないものの非常にやっかいな漂着ゴミとなったことはたしかだ。

北朝鮮のミサイルの破片の可能性がある漂着物。

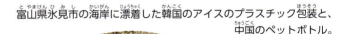

富山県氷見市の海岸に漂着した韓国のアイスのプラスチック包装と、中国のペットボトル。　写真：NPEC

富山県富山新港沖で、海中をただようゴミ。写真：NPEC

② 海をゴミすて場にする？!

ゴミや屎尿を海にすてるのを2016年1月まで認めていた国がありました。日本のとなりの韓国です。しかし、そのことを非常識だと非難できるでしょうか。日本も、かつては認めていた時代があったのです。

韓国は最近まで海にゴミをすてていた！

韓国は、1980年代後半からゴミや家畜糞尿などを日本海と黄海へすてるようになりました。しかも、韓国じゅうから出る生ゴミの7割を海にすてていたといわれています。

そうした韓国に対し、日本をはじめ国際社会はただちにやめるように強くもとめてきました。その結果、韓国でも2012年になってようやく、廃棄物の一部を海にすてることが禁止されました。ところが、その後も食品廃棄物や糞尿汚泥などの海洋投棄は認められていて、大量のゴミを海にすてていました（2016年1月1日になってようやく全面禁止）。

かつてはアメリカや日本も

韓国は、1993年に海洋投棄を禁止するロンドン条約に参加。それでも海洋投棄をしている韓国に対し、国際社会は、やめるようにもとめてきました。ところが、そう要求したアメリカ、イギリス、日本なども、かつては海洋投棄をしていたのです。そのほかも、海に面した多くの国がおこなっていたといわれています。

アメリカは1992年に、イギリスは1999年に海洋投棄を禁止しました。日本も2007年にやめました。

PART 2 ゴミには国境がない！

もっと知りたい！ 韓国の海のゴミすて場

韓国の海洋投棄はおもに3か所でおこなわれていた。そのうちの1つは竹島（韓国は「独島」とよぶ）の近海だ。韓国では、日本との領土問題が続いているその島について「美しい自然にあふれた独島を守ろう」と、国民にうったえているが、その島のすぐ近くの海をゴミすて場にしていたのだ。

もっと知りたい！ 東京湾外の黄河

日本では、下水道整備が人口集中の速度に追いつかなかった1950年代、都市部から収集された屎尿は船舶による海洋投入処分が主流となっていた。当時、東京湾外の青い海原に広がる屎尿の黄色い帯が「黄河」と評されたという。その後、2002年の廃棄物処理法施行令の改正などにより、海洋投入は原則として廃止された。

1935（昭和10）年につくられ、1986（昭和61）年まで運行していた海洋投棄船「むさしの丸」。　写真：東京都

北海で下水汚泥が海に投棄されているようす（イギリス国籍）。

写真：Alamy/アフロ

ハワイ周辺の海をただようゴミ。
写真：NOAA Marine Debris Program

3 太平洋ゴミベルト

「太平洋ゴミベルト」（英語ではGreat Pacific Garbage Patch）とは、ハワイ北西部のミッドウェー環礁付近の、大量の漂流ゴミが集中している海域のことをいいます。

くわしい場所

太平洋ゴミベルトは、アメリカ海洋大気庁が1988年に公開した文書によって、はじめてその存在が予測されました。その位置は「およそ西経135度から155度、北緯35度から42度の範囲にわたり、その面積は日本の国土の4倍近くにおよぶ（『日本大百科全書』）」とみられています。

太平洋ゴミベルトに流れつく漂流ゴミは、海をただよいながらくだけて細かくなっており、上の写真のように肉眼ではっきりと見ることはできません。しかし、太平洋ゴミベルトには、ほかの海域とくらべて、非常に高密度に漂流ゴミが集まっています。

そこにたどりついたゴミの多くは、日本、韓国、中国などアジアの東海岸から出たものであると推測されています。

●太平洋ゴミベルトの位置

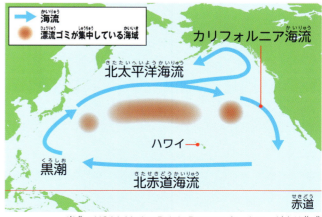

出典：NOAA Marine Debris Program ホームページより作成

どのようにしてできたのか？

　北太平洋にある4つの海流（北太平洋海流、カリフォルニア海流、北赤道海流、黒潮）は、さらに広範囲の巨大な海流（時計まわりの北太平洋旋廻）をつくりだしています。太平洋ゴミベルトは、この流れに乗ったゴミが、海上を吹く偏西風と貿易風の影響により、高緯度のゴミは南に、低緯度のものは北に運ばれた結果、中緯度帯にゴミが集まってできたと考えられています。

深刻な問題

　太平洋ゴミベルトにかぎらず、海を漂流するゴミは、さまざまな問題を引きおこしています。そのなかでいちばん深刻なのが、プラスチック製品の問題です。プラスチックはじょじょに劣化して崩壊していきますが、非常に分解されにくいため、無数の細片となってしまいます。それを海鳥や魚、くじらやアザラシなどの海洋ほ乳類が、エサとまちがえて食べて死んでしまうのです。多くの海鳥や海洋動物などが、ゴミとなって流れてきた漁網などにからまってしまうことも少なくありません。

写真・ジョン・クラビッター
コアホウドリの死骸。体内にあったゴミが露出している。

写真：JEAN
コアホウドリのひな3羽分の死骸から回収した、体内にのこっていたプラスチックゴミ。親鳥は浮いて流れているものはすべてエサのイカや魚と認識するため、ひなにあたえてしまうという。

　さらに、ゴミからしみだした有毒物質が海水を汚染し、魚の体内に蓄積されることも確認されています。このように漂流ゴミは、海の生態系をこわし、広範囲にわたって環境汚染をしているのです。

どうしようもない現実・東日本大震災

　東日本大震災にともなう巨大津波によって、ありとあらゆるものが海に流された。通常の海洋ゴミとはことなる危険なものまでが大量、かつ急激に太平洋に流されてしまった（→3巻P8）。2011年4月に、ハワイ大学国際太平洋研究センターは震災がれきの漂着先についての予測を発表。1年後の2012年にハワイ諸島の北側に近づき、2014年にはアメリカ西海岸に達し、さらに南太平洋を逆方向にすすんで2015年3月に太平洋ゴミベルトに流れこむと推定した。しかし実際は、その予測よりはやく、2012年に西海岸まで到達したことがわかった。

写真：JEAN
アメリカ西海岸にあるワシントン州ロングビーチで発見された漂着物と発見者の男性。漂着物は岩手県大槌町からのものと判明し、返還された。

バーゼル条約とは

「バーゼル条約」は、正式名称が「有害廃棄物の国境を越える移動及びその処分の規制に関するバーゼル条約」で、有害廃棄物の処理をその発生国に原則として義務づけるという国際条約のことです。

○条約ができた背景

1970年代に入ると、アメリカやヨーロッパの先進工業国ではゴミを海外に持ちだすことがおこなわれるようになりました。とくに有害な廃棄物を国内にとどめるのをきらい、海外へどんどん持ちだしたのです。その行き先はアフリカなどの開発途上国で、そこでは、有害なものであっても荒野に放置されていました。そのため、周囲の環境が汚染されるなど大きな問題となり、国際社会から「有害廃棄物の国境を越えた移動」が批判されるようになりました。

こうした状況を受けて、経済協力開発機構（OECD）および国連環境計画（UNEP）が検討を重ねた結果、1989年3月、スイスのバーゼルにおいて「一定の有害廃棄物の国境を越える移動等の規制」について国際条約がつくられました。それが「有害廃棄物の国境を越える移動及びその処分の規制に関するバーゼル条約」です。

バーゼル条約は、1992年5月5日に発効。2015年5月現在の締約国数は181か国と、EUおよびパレスチナとなっています。日本は、1993年9月17日に同条約に加盟しました。

○バーゼル条約の概要

バーゼル条約は、前文・本文29か条・末文および9の附属書からできています。外務省では、その概要を右のように示しています。

① この条約に特定する有害廃棄物及びその他の廃棄物（以下本資料において「廃棄物」という）の輸出には、輸入国の書面による同意を要する（第6条1～3）。
② 締約国は、国内における廃棄物の発生を最小限に抑え、廃棄物の環境上適正な処分のため、可能な限り国内の処分施設が利用できるようにすることを確保する（第4条2(a)及び(b)）。
③ 廃棄物の不法取引を犯罪性のあるものと認め、この条約に違反する行為を防止し、処罰するための措置をとる（第4条3及び4）。
④ 非締約国との廃棄物の輸出入を原則禁止とする（第4条5）。
⑤ 廃棄物の南極地域への輸出を禁止する（第4条6）。
⑥ 廃棄物の運搬及び処分は、許可された者のみが行うことができる（第4条7(a)）。
⑦ 国境を越える廃棄物の移動には、条約の定める適切な移動書類の添付を要する（第4条7(c)）。
⑧ 廃棄物の国境を越える移動が契約通りに完了することができない場合、輸出国は、当該廃棄物の引取を含む適当な措置をとる（第8条）。
⑨ 廃棄物の国境を越える移動が輸出者又は発生者の行為の結果として不法取引となる場合には、輸出国は、当該廃棄物の引取を含む適当な措置をとる（第9条2）。
⑩ 締約国は、廃棄物の処理を環境上適正な方法で行うため、主として開発途上国に対して、技術上その他の国際協力を行う（第10条）。
⑪ 条約の趣旨に反しない限り、非締約国との間でも、廃棄物の国境を越える移動に関する二国間または多数国間の取決めを結ぶことができる（第11条）。

日本から中国に輸出された廃鉛バッテリー（中国・広東省、2007年1月）。
写真：日本貿易振興機構アジア経済研究所 小島道一

4 世界の酸性雨

「酸性雨」とは、酸性度がpH5.6以下の雨のことです。ヨーロッパでは1960年ごろから急激に酸性雨がひどくなり、pHが4を下回る雨がふる地域も出てきました。酸性雨が原因で木ぎがかれるなどの環境被害が出ています。

酸性雨の原因

石炭や石油を燃やすと、SOx（硫黄酸化物）やNOx（窒素酸化物）といった物質が発生します。これらの物質が空気中で化学反応を起こすと、酸性の細かい粒となることがあります。その粒が雨にとけこんでふってくるのが酸性雨です。

● 酸性雨のふるしくみ

酸性雨の被害

酸性雨をつくるその細かい粒は、風に乗って遠くまで運ばれます。場合によっては、国境をこえて海外で酸性雨をふらせます。酸性雨は、ふりつづけると土も酸性になり、植物をからしてしまいます。酸性雨で樹木がかれる規模は非常に大きく、一斉に起こります。そのため、現在起こっている砂漠化の原因の1つともいわれています。また、河川や湖も酸性になります。酸性の水に弱い小魚などはすぐに死んでしまいます。すると小魚をエサにする大型の魚類にも影響が出ます。このように酸性雨により、さまざまな生態系がこわされていくのです。

一方、酸性雨は環境に悪影響をあたえるだけでなく、人間のつくったものにも被害をおよぼします。酸性雨は、カルシウム分や石灰質をとかしてしまうので、建築物や彫刻などを腐食させるのです。コンクリートやセメントでつくられた建造物の表面をとかすこともあります。

もっと知りたい！ 酸性・アルカリ性とpH

酸性やアルカリ性というのは、水溶液（物質を水にとかした液）の性質の名前。食酢や果汁のように、すっぱい味のするものは酸性、草木を燃やしたあとにできる灰を水にとかした灰汁のように、苦い味のするものはアルカリ性。中性は、酸性とアルカリ性のちょうど中間の性質。

pHは、酸性・アルカリ性の程度をあらわすもの。pH7が中性で、7より小さくなるにしたがって酸性が強くなり、7より大きくなるにしたがってアルカリ性が強くなる。

酸性雨の影響であれはててしまったドイツの森。

国際問題

酸性雨によって森がかれてしまう現象は、日本でよく知られていますが、その原因となる物質は日本国内から出されているのではありません。中国などから風によって運ばれてくることも多くあります。

ヨーロッパなどでは、どこの国が出した物質で酸性雨がふるかはわからないのがふつうです。そのため、酸性雨に対しては国際協力して対策を立てなければなりません。

もっと知りたい！ 日本の酸性雨

日本では、1983年から酸性雨のモニタリングやその影響に関する調査研究を実施。つぎのことがわかった。
- 全国的に酸性雨が観測された。
- 日本海側の地域では大陸からきた物質が原因となっていると考えられる。
- 日本では、ヨーロッパほど被害は大きくないが、酸性雨が今後もふりつづければ、将来、酸性雨による影響が大きくあらわれると考えられる。

もっと知りたい！ ヨーロッパの酸性雨

酸性雨は、ヨーロッパでは古くは18世紀から見られたが、1960年ごろから急激に酸性雨の影響がひどくなったことも報告されている。

酸性雨問題は発生源である大都市や工業地帯の局所的な問題にとどまらず、その原因物質は気流などにより長い距離を移動し、国境をこえた国際的な問題となっている。酸性雨の被害は、とくにスウェーデンで顕著。約8万5000ある湖沼のうち約2万1500の湖沼で酸性雨の影響が確認され、約1万の湖沼はすでに酸性化している。さらに、そのうち9000の湖沼で魚類の生息に悪影響があらわれている。

深刻な大気汚染に見まわれている、中国の都市部。

⑤ 中国からやってくる PM2.5

「PM2.5」は、粒径2.5μm（2.5mmの1000分の1）以下のエアロゾルのことです。「エアロゾル」は、空気中にうかんでいる小さな粒子をさします。その小ささから、人間の肺の奥にまで到達しやすいとされています。

太古の昔から存在した！

PM2.5は最近急に耳にするようになりましたが、じつは太古の昔から地球上のどこの大気にも存在していました。ただし、PM2.5というのは、大きさが2.5μm以下の微粒子であることを意味するだけで、なにをそうよぶかは規定されていません。一般には、硫酸塩や硝酸塩のような塩類、ディーゼル排煙中のすすのような黒色炭素など数千種類にもおよぶ有機化合物がふくまれます。

●PM2.5の大きさ

※ 1μm＝1000分の1mm

- 髪の毛 70μm
- 花粉 30μm
- PM2.5 2.5μm

もっと知りたい！ PM2.5の濃度

PM2.5の濃度は、$1m^3$の空気にふくまれる粒子の重さであらわす。$1\mu g/m^3$は、$1m^3$の空気に100万分の1gの粒子がふくまれることを意味する。

中国が発生源？

近年、冬から春にかけて日本に飛んでくるPM2.5の量が増加。これは、黄砂とともに飛来することから、中国の深刻な大気汚染の影響によるものだと考えられています。

しかし、日本国内でもそれ以前から発生が確認されていたので、明確な原因は、まだわかっていません。

海洋研究開発機構が2010年1年間のデータをもとに発生源を推定した結果、九州に飛んでくるPM2.5の6割が中国が発生源と推測。ところが、関東では、発生源が国内であるものが5割強で、中国からのものは4割弱と発表されました。

中国では近年、工場のばい煙や自動車の排ガスに対する規制を強化していますが、徹底できていません。大気汚染が深刻化しています。

とくに冬場は西よりの風に乗って日本にやってくることがあります。春が近づくにつれて風が少し弱まり、空気がよどんでくると、PM2.5の濃度があがりやすくなるといわれています。

たくさんの車が走る中国の都市部。

PM2.5の影響でかすむ福岡市内。

6 ゴミと温室効果ガス

日本の二酸化炭素（CO_2）をはじめとする温室効果ガスの排出量は、1990年度にくらべて大きく増えたといわれています。とくに廃棄物の焼却による温室効果ガスの排出量が増加していることが、わかってきました。

廃棄物の処理と温室効果ガス排出

廃棄物の処理による温室効果ガスの排出量は、日本が出す排出量全体のわずか3％弱にしかすぎません。ところが、廃棄物の処理という分野の排出量の推移を見ると、1990年時点では全体の2％でしたが、その後少しずつ割合が上昇し、2004年時点には2.8％となりました。

じつは日本は、1997年に合意した「京都議定書」で、日本の温室効果ガスの排出量全体について、2008年から2012年のあいだで、1990年当時の量とくらべて6％削減することを国際的に約束していたのです。

そのため、排出量の増加分野があること自体が、大きな問題となりました。

そこで、日本は2005年4月28日、温暖化対策推進法に基づいて「京都議定書目標達成計画」を決定し、これにしたがって「温室効果ガスの6％削減」の達成に向け、さまざまな対策を打ち出しました。18〜19ページで見た容器包装リサイクル法や家電リサイクル法などもそのためでした。

●日本における廃棄物処理分野からの温室効果ガス排出量とその推移

出典：「温室効果ガスインベントリオフィス」における公表値

京都議定書

「京都議定書」とは、1997年に京都で開かれた「気候変動枠組条約第3回締約国会議（COP3）」で採択された議定書（2005年発効）。京都議定書批准国は150か国に達した（2016年現在、192か国）。この会議では、締約国の温室効果ガス排出量の削減目標を数字で示した。国ごとに削減率はことなり、日本6％、アメリカ7％、EU8％、ロシア0％が合意された。

気候変動枠組条約の概要

「気候変動枠組条約」は、1992年にブラジル・リオデジャネイロで開催された「地球サミット」において155か国が署名した国際条約のことです（1994年発効）。

この条約は、温室効果ガス排出削減のために「温室効果ガスの人為的排出のより長期的傾向を是正させるような政策を策定し、対応措置を講じること」、先進国に対し、「気候変動に関する資金援助や技術移転などを途上国に実施すること」などを明記しました。また、「排出量取引制度」についても規定しています。

排出量取引

京都議定書（→左ページ）は、温室効果ガスの削減義務を課しましたが、実際には、義務を達成できる国は少なく、排出枠を国際的に取引するといった「国際排出量取引」が認められるようになりました。

「排出量取引」とは、企業や国などが温室効果ガスを排出することのできる量を「排出枠」というかたちで定め、排出枠をこえて排出をしてしまったところが、排出枠より実際の排出量が少ないところから排出枠を買ってくることを可能にし、それによって削減したと見なすことができるようにする制度のことです。

じつは、「排出量取引」は、アメリカで発電所から出る二酸化硫黄を削減するためにつくられた制度ですが、それにより、削減に大きな成果が出たことから広くおこなわれるようになりました。

● 排出量取引のしくみ

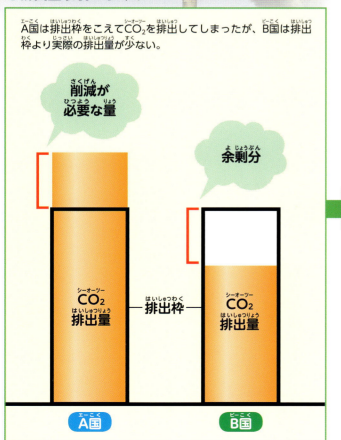

A国は排出枠をこえてCO_2を排出してしまったが、B国は排出枠より実際の排出量が少ない。

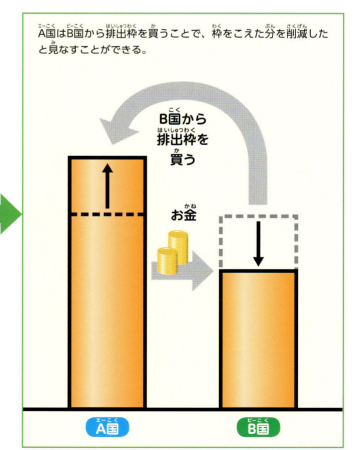

A国はB国から排出枠を買うことで、枠をこえた分を削減したと見なすことができる。

世界一大気汚染のひどい都市

ここでは、都市の空気の汚染について、『The Economist（エコノミスト）』が2013年1月、世界保健機関（WHO）の情報をもとに発表した「世界で空気が汚染されている都市」トップ17を見てみましょう。

●最悪の都市

世界でもっとも大気汚染がひどい都市は、インドのルディヤーナー、2位が中国の蘭州、3位がメキシコのメヒカリだと発表されました。日本でもっとも空気が汚染されているとされたのは、大阪で16位となりました。

第2位にランクインした中国の蘭州。黄河上流に位置し、鉄鋼・機械・石油化学などの工業がさかん。

日本でもっとも大気汚染がひどいとされた大阪。

●世界で空気が汚染されている都市トップ17

順位	国名	都市名	順位	国名	都市名
1	インド	ルディヤーナー	10	フランス	パリ
2	中国	蘭州	11	アメリカ	ベーカーズフィールド
3	メキシコ	メヒカリ	12	カナダ	モントリオール、サーニア
4	インドネシア	メダン	13	ロシア	モスクワ
5	韓国	アニャン、プサン	14	ドイツ	ドレスデン
6	南アフリカ	ヨハネスブルグ	15	イギリス	ロンドン
7	ブラジル	リオデジャネイロ	16	日本	大阪
8	イタリア	トリノ	17	オーストラリア	ブリズベン
9	スペイン	セビリア、サラゴサ			

●ランクインした都市の大気汚染の程度

※空気1m³あたりにふくまれる直径10μm以下の粒子状物質の量を比較したもの。量が多いほど空気が汚染されていると考えられる。

資料編

ここからは、PART1、PART2の内容をより深く理解するのに役立つ資料を紹介します。

日本の海岸に漂着したペットボトルの製造国別割合

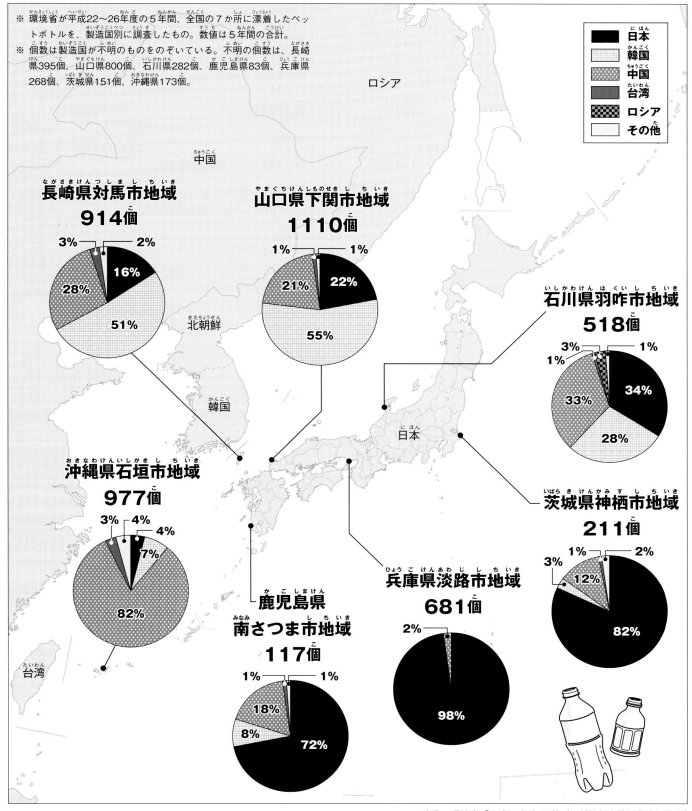

出典：環境省「平成26年度 漂着ごみ対策総合検討業務報告書」

世界の地域別ひとりあたりの食料年間廃棄量

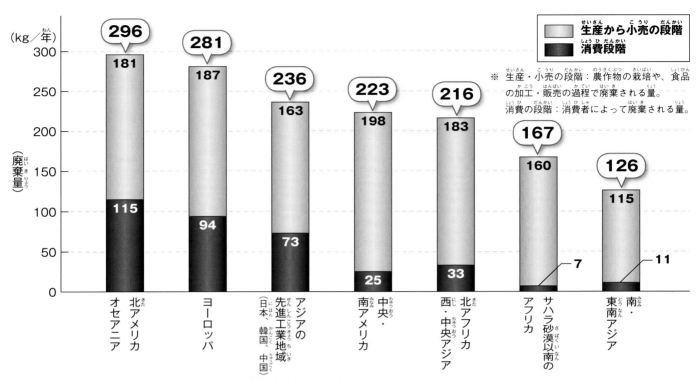

出典：国連食糧農業機関（FAO）「Food losses and waste in the context of sustainable food systems」（2014年）

各国の京都議定書の達成目標と達成状況

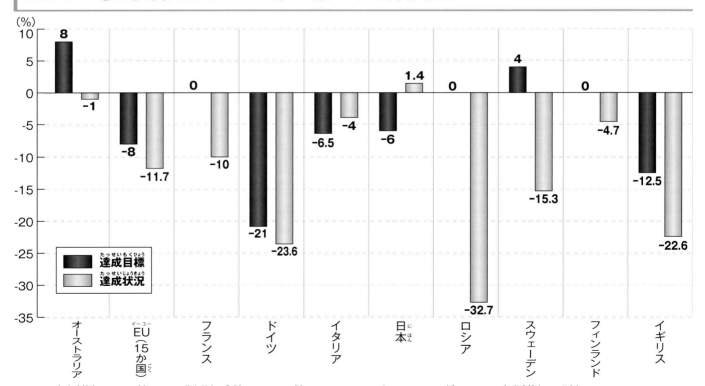

※1 達成目標は、1990年のときの排出量と比較して、2012年までにどれくらい減らすかを％で示したもの。達成目標が0以上になっているオーストラリアとスウェーデンはもともと排出量が少なく、排出量が増えたとしても、そこまでの増加におさえるという目標値。
※2 達成状況の値には、森林による二酸化炭素吸収、排出量取引などによる値はふくまれていない。
出典：温室効果ガスインベントリオフィス「附属書Ⅰ国の温室効果ガス総排出量と京都議定書達成状況～京都議定書第一約束期間まとめ～」（2016年11月）のデータをもとに作成

日本の家庭ゴミにおける容器包装の割合と素材別内訳（2015年）

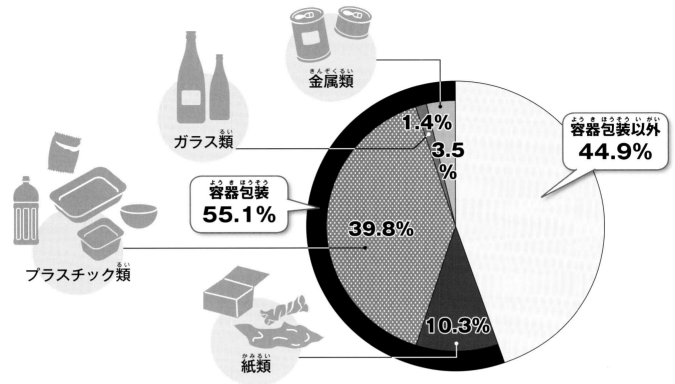

（注）四捨五入の関係で、合計値が合わない場合がある。

出典：環境省「容器包装廃棄物の使用・排出実態調査」（2015年度）

特定家庭用機器*の再商品化率の推移（国内）

＊家電リサイクル法（→P19）でリサイクルが義務づけられている家電。

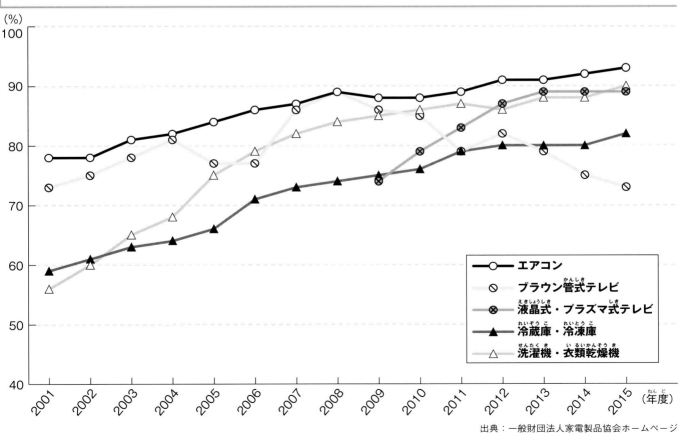

出典：一般財団法人家電製品協会ホームページ

用語解説

あ行

温室効果ガス … 16、38、39
家庭や工場・発電所などから出る煙や、自動車の排気ガスにふくまれる二酸化炭素（CO_2）やメタンガスなどの気体のこと。これらの気体は、太陽の熱を閉じこめて気温が下がりにくくするはたらきがある。これらの気体が地球を取りかこみ、地球を温室のような状態にするため、「温室効果ガス」とよばれている。

温暖化対策推進法 …………38
「地球温暖化対策の推進に関する法律」の略称。京都議定書で課せられた温室効果ガスの削減目標を達成するために、国・地方公共団体・事業者・国民の役割を規定している。1999（平成11）年施行。

か行

環境先進国 ………………17
環境保護政策において、ほかの国よりも高い技術や意識を持ち、環境問題に積極的に取り組んでいる国。

経済協力開発機構（OECD）
…………………9、11、32
加盟国の経済的発展、開発途上国への援助、貿易の拡大などを目的とする国際協力機関。1961年に設立され、本部はフランス・パリにある。2016年現在、35か国が加盟している。英語名のOrganisation for Economic Co-operation and Developmentの頭文字をとりOECDとよばれる。

黄砂 ……………………37
中国大陸の黄土地帯の細かい砂が強風で吹きあげられて空をおおい、風に運ばれながらしだいに降下してくる現象。

公衆衛生 ………………14
地域社会の人びとの健康の保持・増進をはかり、疾病を予防するため、公私の保健機関や組織によっておこなわれる衛生活動。

高度経済成長 ……………22
1950年代半ばからの日本経済の急激な成長。1960年代の経済成長率は年平均10%をこえ、産業構造や国民の生活が急速に変化した。1973年にオイルショックが起こり、終了した。

国連環境計画（UNEP） ……32
地球環境問題に専門的に取り組む機関として、1973年3月に設置された国際組織。本部はケニアの首都ナイロビに置かれている。

さ行

再商品化 ………18、19、43
ゴミを製品の原料などにリサイクルすること。容器包装リサイクル法では、市町村が分別収集した容器包装廃棄物を、メーカーが製品や製品の原材料として売ったり、無料で提供したりできる状態にすることをさす。メーカー自らが、製品の原材料にしたり、製品としてつかったりすることもふくまれる。家電リサイクル法では、家電メーカーが、回収した廃棄家電から部品を取りだしてふたたびつかったり、原料として利用したりすることをさす。

産業廃棄物 ………………21
工場などで事業活動にともなって生じる廃棄物。燃えがら、汚泥、廃油など。原則として、事業者が処理する責任を負う。

循環型社会形成推進基本法
………………………18
日本が目指す「循環型社会」のすがたを、法律上明確にしたもの。「循環型社会」とは、大量採取・生産・消費・破棄の社会にかわり、製品の再生利用などをすすめて新たな資源の使用をおさえ、廃棄物ゼロを目指す社会のこと。

新興国 ……… 8
投資や貿易がさかんになり、急速に経済成長を続ける国。中国や東アジア、中南米、旧東ヨーロッパ諸国など。新興国グループとして、BRICs、NEXT11などがある。

ストライキ ……… 9
労働者が労働条件の改善などの要求をとおすため、集団的に労働の提供を拒否する行為。

た行

地下鉄サリン事件 ……… 8
1995（平成7）年3月20日、東京都で起きた無差別テロ事件。午前8時ごろ、東京都内の地下鉄の車内で、化学兵器として使用される神経ガス「サリン」が散布され、乗客および駅員ら13人が死亡、約6300人が重軽傷という大惨事となった。

地球サミット ……… 39
地球環境の保全をテーマに、1992（平成4）年6月にブラジルのリオデジャネイロで開催された国際会議。各国の政府代表とNGOが環境問題について議論した。

長距離弾道ミサイル ……… 27
ロケットにより発射され、上空を飛ぶ兵器で、飛行距離が数千kmと長いもの。なかには大陸をこえて移動が可能なもの（大陸間弾道ミサイル）もある。

な行

NEXT11 ……… 11
BRICsのつぎに経済成長が期待される新興国11か国の総称。11か国は、イラン、インドネシア、エジプト、韓国、トルコ、ナイジェリア、パキスタン、バングラデシュ、フィリピン、ベトナム、メキシコ。

は行

廃棄物処理法 ……… 29
「廃棄物の処理及び清掃に関する法律」の通称。廃棄物の排出をおさえ、発生した廃棄物は適正に分別・処理することにより、生活環境が安全に守られることを目的とした法律。ゴミの回収体制や処理・清掃責任を定めている。1971（昭和46）年施行。

東日本大震災 … 18、26、31
2011年3月11日に発生したマグニチュード9.0の地震により、東日本の各地に甚大な被害が出た災害。死者1万9418人（2016年3月時点）。沿岸部では、地震により発生した巨大な津波により、被害が拡大した。福島第一原子力発電所で放射性物質がもれる事故が起きた。

BRICs ……… 11
近年経済発展の著しいブラジル（Brazil）、ロシア（Russia）、インド（India）、中国（China）の総称。それぞれの英語の国名の頭文字をつなげ、複数形のsをつけた造語。BRICsの4か国に、南アフリカ共和国（South Africa）の「S」をくわえ、「BRICS」ということもある。

放射性物質 ……… 8、18
人体に有害な放射線を出す物質。ウランなどの核燃料や、核燃料が原子炉で核分裂することでできる物質などがある。

さくいん

あ行

R……16
悪臭……22、23、25
アゼルバイジャン……14
アフリカ（大陸）……10、32
アメリカ……8、9、16、28、32、38、39
EU……15、32、38
EU埋立指令……15
イギリス……28
イタリア……9
インド……40
飲料容器……17
ウェイスト・ピッカー……11
うめ立て処分……14、15
うめ立て処分場……13、25
うめ立て地……12、13、22
エジプト……10
オーストラリア……8
汚染物質……13
温室効果ガス……16、38、39、44
温暖化対策推進法……38、44

か行

回収業者……20、21
回収手数料……20
害虫……23、25
海底ゴミ……26
開発途上国……11、32、33
海洋汚染……27
海洋ゴミ（海ゴミ）……26、31
海洋投棄……28、29
海洋投入処分……15、29
家畜糞尿……28
家庭ゴミ……8、43
家電ゴミ……20、21
家電製品……17、19、20、21
家電リサイクル法……18、19、21、38
缶……17
環境汚染……11、12、13、14、21、31
環境省……20
環境先進国……17、44
韓国……11、28、29、30
気候変動枠組条約……39
北朝鮮……27
京都議定書……38、39、42
経済協力開発機構（OECD）……9、11、32、44
下水道……25、29
健康被害……21
公害……13
黄砂……37、44
公衆衛生……14、44
高度経済成長……22、44
国連環境計画（UNEP）……32、44
ゴミ火災……22
ゴミクレーン……25
ゴミ計量機……24
ゴミ収集車……2、8、24
ゴミ処分場……22
ゴミ処理……11、12、15、16、22
ゴミ処理場……11、12、13
ゴミすて場……10、11、13、28、29
ゴミ戦争……22
ゴミ箱……8
ゴミバンカ……24、25
ゴミ屋敷……23

さ行

最終処分……15
最終処分場……11
再商品化……18、19、43、44
砂漠化……34
産業廃棄物……21、44
酸性雨……34、35
自然災害……11、27
屎尿……28、29
循環型社会形成推進基本法……18、44
焼却……9、15、18、24、25、38
焼却施設……14
焼却炉……9、18、25
食品廃棄物……28
食品容器……27
食品ロス……9
新興工業国……11、15
新興国……8、45
スウェーデン……35
ストライキ……9、45
3R……18
清掃工場……24、25
世界保健機構（WHO）……40
石炭……34
石油……14、34
先進工業国……32

先進国……… 8、9、11、15、39
相対的価値 …………………23
粗大ゴミ ……………………19

● た行

ダイオキシン ………………… 8
大気汚染 ………… 14、37、40
堆肥化 ………………………17
太平洋ゴミベルト ……… 30、31
竹島 …………………………29
地下鉄サリン事件 ……… 8、45
地球サミット ……………39、45
中間処理 ……………………15
中国
………………… 12、13、21、30、
35、36、37、40
長距離弾道ミサイル ……27、45
デポジット制度 ……………17
電気電子ゴミ（E-waste）…21
ドイツ …………………… 9、17
東京ゴミ戦争 ………………22
特定家庭用機器 ………19、43

● な行

生ゴミ …………………17、28
二酸化硫黄 …………………39
二酸化炭素 …………………38
NEXT11 …………………11、45

● は行

バーゼル条約 …………32、33
ばい煙 …………………37、38
排ガス …………………25、37

廃棄物
……… 18、19、28、32、33、38
廃棄物処理法 …………29、45
ばい菌 ………………………25
排出者責任 …………………18
排出量取引 …………………39
バングラデシュ ……………11
PM2.5 …………………36、37
東日本大震災
……………… 18、26、31、45
漂着ゴミ …………………26、27
漂流ゴミ …………………30、31
ビン …………………………17
5R ……………………………16
フィリピン …………………11
4R ……………………………16
福島第一原発事故 …………18
フスタート …………………10
不法投棄 … 13、17、19、20、21
ブラジル …………………11、39
プラスチック製品 ………27、31
プラスチックトレイ ………18
プラットホーム ……………24
フランス ……………………… 9
BRICs ……………………11、45
糞尿汚泥 ……………………28
分別収集 ……………………18
分別排出 ……………………18
ペットボトル
………………… 17、18、27、41
放射性物質 ……… 8、18、45
北欧 …………………………17
ポリ袋 ………………………14

● ま行

ミサイル ……………………27
メキシコ …………………11、40
燃えないゴミ ……………… 8
燃えるゴミ …………………24
燃やせないゴミ …………… 8

● や行

有害廃棄物 ……………32、33
有害物質 ……………………15
夢の島 ………………………22
容器包装 ………………18、43
容器包装廃棄物 ……………18
容器包装リサイクル法 …18、38
ヨーロッパ
……8、9、16、17、32、34、35

● ら行

リサイクル（Recycle）
………………… 15、16、18、19、21
リデュース（Reduce）……16
リフューズ（Refuse）……16
リペア（Repair）……………16
リユース（Reuse）…………16
ロシア ………………………38
ロンドン条約 ………………28

47

■ 著／稲葉茂勝
1953年東京都生まれ。大阪外国語大学、東京外国語大学卒業。国際理解教育学会会員。子ども向け書籍のプロデューサーとして多数の作品を発表。自らの著作は、『世界の言葉で「ありがとう」ってどう言うの？』など、国際理解関係を中心に著書・翻訳書の数は80冊以上にのぼる。
なお、2016年9月よりJFC（Journalist for children）と称し、執筆活動を強化しはじめた。

■ 編集・デザイン／こどもくらぶ（石原尚子、関原瞳、矢野瑛子）
「こどもくらぶ」は、あそび・教育・福祉分野で子どもに関する書籍を企画・編集しているエヌ・アンド・エス企画編集室の愛称。図書館用書籍として、毎年100タイトル以上を企画・編集している。主な作品に「さがし絵で発見！ 世界の国ぐに」全18巻、「大きな写真と絵でみる地下のひみつ」全4巻、「現場写真がいっぱい 現場で働く人たち」全4巻（あすなろ書房）など多数。

この本の情報は、特に明記されているもの以外は、2016年11月現在のものです。

■ 企画・制作／
株式会社エヌ・アンド・エス企画

■ 写真・図版協力（敬称略）
渥美半島観光ビューロー
アフロ
一般社団法人JEAN
株式会社アール・シイーティー・ジャパン
株式会社ワールドホリデーズ
環境省
公益財団法人環日本海環境協力センター
公益社団法人日本環境教育フォーラム 佐藤秀樹
東京都
東京二十三区清掃一部事務組合
鳥取県
永守 優（世界一周！で漏らしてみる）
City of Winnipeg
NOAA Marine Debris Program
Tanah Sutera Development Sdn Bhd
とうじ、freeangle、mfjt、Ryu K/ PIXTA
©Antonio Oquias、©Baloncici、
©Catalina Zaharescu Tiensuu、
©Rkaphotography、
©Said Mammadov、
©Sjors737 ¦ Dreamstime.com
©Anticiclo、©san724、
©1xpert-Fotolia.com

シリーズ「ゴミと人類」過去・現在・未来②
日本のゴミと世界のゴミ　現代のゴミ戦争

NDC519

2016年12月30日　初版発行　　2018年2月25日　　2刷発行

著　者　稲葉茂勝
発行者　山浦真一
発行所　株式会社あすなろ書房　〒162-0041　東京都新宿区早稲田鶴巻町551-4
　　　　電話　03-3203-3350（代表）
印刷所　凸版印刷株式会社
製本所　凸版印刷株式会社

©2016 Shigekatsu Inaba
Printed in Japan

48p／31cm
ISBN978-4-7515-2857-0

拒

削減
さくげん

尊
そん

再使用
さいしよう